Perla y la gran tormenta

WENDY HARMER

Ilustrado por Gypsy Taylor

BEASCOA

Feliz Navidad para Moo Balloo y Mr Bones

Título original: *Pearlie and the Christmas Angel*
Traducción: Magela Ronda

© Out of Harms Way Pty Ltd, 2006

©2007 para la lengua española:
Beascoa, Random House Mondadori, S.A.
Travessera de Gràcia, 47-49. 08021 Barcelona

Tercera edición: noviembre de 2010

Publicado por primera vez por Random House Australia, 2006

Ilustraciones basadas en las ilustraciones originales de Mike Zarb

ISBN: 978-84-488-2638-3
Depósito legal: B-43741-2010
Imprime y encuaderna Bigsa

Sólo faltaban dos días para celebrar la Navidad y los niños disfrutaban de sus vacaciones jugando y corriendo por el Parque de la Alegría.

Perla adoraba esa época del año. Aquella
mañana saltó de la cama con gran entusiasmo.

Tenía un montón de tareas por hacer: planchar
los vestidos, preparar pasteles y magdalenas...
Su amiga Azabache, el hada del desierto, venía
a visitarla desde la sierra del Arco Iris, y ¡aún
no había acabado de decorar su caparazón!

—¡Muérdago y polvorones! —canturreó—, ¡será mejor que me ponga en marcha!

Perla se vistió deprisa y preparó su desayuno especial: tostada de semillas de girasol, té de jazmín y mermelada de pétalos de rosa. Luego, salió fuera de un brinco para asegurarse de que todo estaba en su sitio en el parque, ¡como debía ser!

Todos los animales se preparaban para las celebraciones de la víspera de Navidad, cuando el parque se llenaría de niños cantando villancicos a la luz de las velas.

Mamá Oca estaba ordenando su nido entre los juncos del estanque, mientras sus pequeños chapoteaban a su alrededor. Las arañas Sedita y Rabieta tejían una telaraña especial para Navidad. Las cuatro ranas practicaban sus melodías festivas mientras se remojaban en el agua. Las zarigüeyas Dulce y Pincel colgaban guirnaldas de nueces y bellotas de las ramas de su árbol.

Era una mañana de invierno extrañamente cálida. Perla se detuvo a escuchar el sonido del viento entre las copas de los árboles.
—Mmmm... Hace demasiado calor, creo que tendremos tormenta esta tarde —pensó.

De pronto, Jasper, el elfo, llegó volando rápido como una centella.

–¡Perla, Perla! –exclamó emocionado–. ¡Ven a ver el árbol de Navidad!

Perla y Jasper pasaron zumbando por encima del parque infantil y la colina, y allí estaba: ¡el árbol de Navidad más alto, extraordinario y resplandeciente del mundo!

—La verdad... —exclamó Perla, asombrada—: ¡¡¡¡menudo árbol de Navidad!!!

—¡Eh, colega! ¡Eso rima! —rio Jasper.

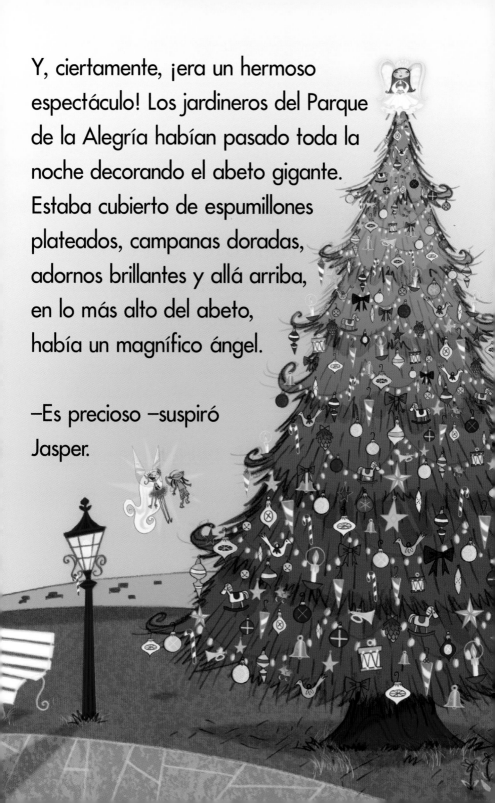

Y, ciertamente, ¡era un hermoso espectáculo! Los jardineros del Parque de la Alegría habían pasado toda la noche decorando el abeto gigante. Estaba cubierto de espumillones plateados, campanas doradas, adornos brillantes y allá arriba, en lo más alto del abeto, había un magnífico ángel.

—Es precioso —suspiró Jasper.

Perla y Jasper volaron hasta la copa del árbol para verlo mejor. El ángel llevaba puesto un vestido largo de un blanco resplandeciente. Tenía una aureola dorada sobre la cabeza y sostenía un libro de villancicos entre las manos. Era perfecto.

—A los niños les va a encantar —suspiró Perla—. ¡Mañana será la mejor de todas las Noches de Velas y Villancicos!

Perla y Jasper estuvieron muy ocupados el resto del día. Perla preparó un delicioso pastel en forma de estrella y lo cubrió con mermelada de moras y grosellas, y luego colgó luces de colores dentro y fuera del caparazón. Jasper practicó el villancico «Campana sobre campana» con su flauta mientras soñaba con pilas y pilas de regalos.

Ya caía la tarde cuando fueron a la puerta del parque para esperar a Azabache. Oscuras nubes cubrían el cielo. El viento soplaba tan fuerte que lanzó a Perla y Jasper por los aires.

–¡Truenos y relámpagos! ¡Aquí está la tormenta! –gritó Perla.

El hada del parque se agarró con fuerza a la verja de hierro mientras las primeras gotas de lluvia comenzaban a caer.

Jasper, en cambio, bailaba feliz entre las ramas, pues, como todo el mundo sabe, a los elfos les encanta cualquier tipo de clima.

Por fin, a través de la densa lluvia y del bramido del viento, Perla y Jasper vieron a Azabache. Parecía que se acabara de pelear con un tornado.

—¡Hola a todos! ¡Un tiempo magnífico para los patos! —bromeó Azabache—. ¡Caramba! ¡Me alegro muchísimo de veros!

Los tres amigos utilizaron una seta moteada
como paraguas para resguardarse de la lluvia y
llegar sanos y salvos hasta el caparazón de
Perla, en lo más alto de la vieja fuente de piedra.

La tormenta era terrible. Perla, Azabache y Jasper intentaban no asustarse con el ruido de los truenos. Perla preparó una deliciosa cena con ensalada de pétalos y fresas, mantecados de canela y zumo de margarita, pero ni así consiguieron tranquilizarse y olvidar la tormenta.

Jasper no podía regresar a su casa en el buzón.
Era demasiado peligroso, así que se quedó a
dormir en la silla favorita de Perla. Azabache
se acomodó en la bañera, debajo de
un suave edredón de plumas
de pato.

Perla daba vueltas en su cama sin poder dormir. Estaba muy preocupada por los árboles y los animales del Parque de la Alegría. También pensaba en el pequeño ángel de Navidad.

—Espero que se agarre bien fuerte —deseó Perla.

Noche de Velas y Villancicos

La mañana siguiente amaneció tranquila. Los tres amigos se asomaron para comprobar si todo estaba en su sitio, pero... ¡menudo desastre!

El fuerte viento había esparcido basura por todas partes y había roto el bonito cartel que anunciaba la Noche de Velas y Villancicos.

Perla, Jasper y Azabache salieron volando hacia el árbol de Navidad.

¡Qué terrible panorama!

El árbol de Navidad estaba vacío. Los adornos estaban tirados en el suelo entre la hierba; las cintas, sucias y rotas, flotaban en el estanque, y las campanas doradas colgaban de la resbaladiza pendiente.

Pero eso no era lo peor. ¿Dónde estaba el ángel?

Jasper lo descubrió medio hundido en un charco de barro. Tenía los brazos rotos, la pintura de la cara se le había borrado y su brillante aureola dorada estaba doblada y retorcida.

—Mi... mi... míralo —lloró Jasper—. ¡Pobrecito ángel!

—¡Hiedra y acebo! —dijo Perla con tristeza—. ¿Cómo podremos celebrar la Navidad sin un ángel?

—¡Canastos! ¡Qué terrible...! —suspiró Azabache.

Los tres amigos se sentaron en silencio. Ya no habría Noche de Velas y Villancicos para los niños. ¡Una tragedia!

Pero entonces, algo de lo más extraño ocurrió. Todos los animales del parque se reunieron al pie del árbol de Navidad.

Mamá Oca y sus cuatro hijitos traían brillantes bolas rojas y verdes. Las habían encontrado entre los arbustos.

–¡CUAC, CUAC, CUAC! ¡Te ayudaremos a decorar de nuevo el árbol, Perla! –dijo Mamá Oca.

Las cuatro ranas llegaron arrastrando un largo pedazo de espumillón plateado.

Las zarigüeyas Dulce y Pincel aparecieron
con una cadena de campanas doradas.

Luego asomaron las arañas Rabieta y Sedita
con más adornos para el árbol y una telaraña
centelleante para colgarlos.

Perla, Jasper y Azabache se miraron sonrientes.

–¡Por todas las perlas de mi collar! ¡Tenéis razón! –exclamó Perla–. Adornaremos el árbol de nuevo.

–¡Guay! –dijo Jasper, secándose una lagrimita.

—¡Escamas y lagartijas! ¡Hay una buena subida hasta arriba! —dijo Azabache—. Y esos adornos pesan mucho. ¿Cómo vamos a colgarlos?

Las zarigüeyas Dulce y Pincel miraron arriba y se dieron cuenta de que no podrían ayudar. Las ramas superiores no eran lo suficientemente robustas para aguantar el peso de las dos viejas zarigüeyas. ¿Qué podían hacer?

Todos estaban pensado una solución cuando los dos ratones apestosos, el Flaco y el señor Pulgas, salieron arrastrándose de su escondrijo en una alcantarilla cercana.

—Ejem, ejem… —carraspeó el Flaco—. Nosotros lo podemos colocar todo de nuevo en el árbol, si queréis. Pero sólo lo hacemos porque queremos que Papá Noel venga al Parque de la Alegría a traernos regalos. ¡No es porque nos gusten los niños!

—Ni sus antipáticos papás y mamás —rechinó el señor Pulgas.

—Nosotros odiamos las velas y los horribles villancicos —gruñó el Flaco.

—¡HURRA! —gritaron todos.

Había mucho trabajo que hacer para volver a convertir el Parque de la Alegría en un lugar hermoso.

Entre todos colgaron los adornos, ataron el cartel en la verja principal y limpiaron el parque de hojas y desperdicios.

Sólo faltaba una cosa: el hermoso ángel que adornaba la rama más alta del árbol.

Perla sonrió y agitó su varita mágica. En un abrir y cerrar de ojos, los brazos del ángel se arreglaron y la pintura de su cara lució como nueva. Azabache sacudió las alas de plumas y Jasper enderezó la aureola.

–¡A... a... a... achís!

El ángel estornudó y se le cayó el halo.

—¡Canastos! ¡Se ha resfriado! —dijo Azabache—.
¡Está demasiado enfermo para pasar la noche
en lo alto del árbol!

—¡Regalos y magdalenas! —exclamó Perla—.
¿Qué vamos a hacer?

A Jasper se le encendió una lucecita.

—¿Querrías ocupar el lugar del ángel... sólo por esta noche? —le preguntó a Perla.

—¿Yo? —se sorprendió Perla—. Pe... pero... soy tan tímida..., y yo...

—Hazlo por los niños —dijo Azabache—. ¿Un árbol sin ángel? ¡Eso no es Navidad!

Perla decidió que Jasper y Azabache tenían razón.

Al anochecer, antes de que los niños llegasen,
Perla se puso su mejor y más reluciente vestido
de fiesta y voló hasta colocarse en lo más alto
del árbol de Navidad.

Enseguida comenzó un desfile de velas encendidas por los senderos del Parque de la Alegría. Cientos de niños llegaban de todos los rincones de la ciudad junto a sus padres para celebrar la Navidad. El árbol resplandecía, repleto de pequeñas luces brillantes y cubierto de mágico polvo de hada.

Los niños sostenían las velas y cantaban villancicos y, al mirar a lo más alto del árbol, descubrieron un hermoso ángel que los observaba. Los más pequeños incluso dijeron que movía las alas.

Perla miró hacia abajo. Podía distinguir las caras alegres y felices de los niños. Vio a Jasper y Azabache cantando a coro junto a los animales del parque y los pequeños ojos de las ratas brillando entre los arbustos. Más allá se extendía su querido Parque de la Alegría en todo su esplendor.

Perla deseó que todos los que estaban allí reunidos sintieran el auténtico espíritu de la Navidad: amor, felicidad y buena voluntad para todos. Deseó para cada niño y cada niña una feliz y mágica Navidad desde lo más hondo de su corazón.